Collection

malins plaisirs

Des livres qui mettent l'eau à la bouche!

Gouvernement du Québec – Programme de crédit d'impôt
pour l'édition de livres – Gestion Sodec

Éditeur : Marc-André Audet
Conception graphique et montage : Energik Communications

Dépôt légal – Bibliothèque et Archives nationales du Québec, 2011
Dépôt légal – Bibliothèque et Archives Canada, 2011

ISBN : 978-2-89657-108-6

Imprimé en Chine

Les éditions Les Malins inc.
1447, rue Wolfe
Montréal (Québec)
H2L 3J5

Poissons & fruits de mer

Des recettes pour livrer la mer dans votre assiette!

Par Marie-Jo Gauthier

Table des matières

Introduction

La collection Malins Plaisirs propose des livres de recettes
qui vous mettront l'eau à la bouche!
Des recettes originales à la portée de tous, de superbes
photos et des sujets variés : une collection parfaite pour
toutes les cuisines, et toutes les bouches!

Découvrez comment apprêter les poissons, les pétoncles,
les moules, les huîtres, ainsi que plusieurs autres fruits de mer.
Plus besoin d'aller au restaurant pour savourer votre plat de
crevette préféré: vous pourrez maintenant les cuisiner
dans le confort de votre foyer!

Bon appétit!

Mousse de saumon fumé

Omelette au saumon fumé et à l'aneth

Dans une grande poêle, faire chauffer l'huile d'olive à feu moyen.
Ajouter les oignons et les faire revenir jusqu'à ce qu'ils aient ramolli,
soit environ 4 minutes.
Ajouter le saumon fumé et le faire revenir 1 minute.
Ajouter le mélange d'œufs, le sel et le poivre.
S'assurer que le mélange d'œufs soit réparti également. Laisser chauffer
jusqu'à ce que les œufs soient cuits, soit 4-5 minutes.
Ajouter l'aneth, plier l'omelette en deux et servir.

Ingrédients

3 c. à soupe d'huile d'olive

1 petit oignon haché

115 g de saumon fumé

4 œufs battus

1/4 c. à thé de sel

1/4 c. à thé de poivre

1 bouquet d'aneth frais

Mousse de saumon fumé

Mettre les morceaux de saumon fumé dans le mélangeur
et mélanger jusqu'à obtenir une consistance lisse.
Ajouter la crème, le fromage à la crème, le jus de citron, la coriandre, le sel
et le poivre. Bien mélanger jusqu'à obtenir une consistance homogène.
Mettre dans un bol et servir avec des craquelins.

Ingrédients

115 g de saumon fumé
coupé en morceaux grossiers

2 c. à soupe de crème 35 %

1 paquet (225 g)
de fromage à la crème ramolli

Le jus de 1/2 citron

1/2 c. à thé de graines
de coriandre moulues

1/4 c. à thé de sel

1/4 c. à thé de poivre

Tartinade de saumon

Dans une casserole remplie d'eau, faire bouillir le saumon environ 10 minutes, ou jusqu'à ce qu'il se défasse facilement. Réserver.

Dans un bol, mélanger le fromage à la crème, la crème sure, les oignons verts, le sel, la sauce piquante, le jus de citron et la sauce Worcestershire.

Émietter le saumon et l'ajouter au mélange. Bien mélanger.

Couvrir et mettre au réfrigérateur environ 8 heures avant de servir.

Servir avec des craquelins.

Ingrédients

454 g de filets de saumon

1 paquet (225 g) de fromage à la crème ramolli

1/2 tasse de crème sure

2 oignons verts hachés finement

1/2 c. à thé de sel

2 gouttes de sauce piquante (Tabasco, harissa ou autre)

Le jus de 1/2 citron

1 c. à soupe de sauce Worcestershire

Roulés au saumon et à la chair de crabe

Mélanger la mayonnaise et le whiskey dans un petit bol.

Ajouter la chair de crabe et les graines de fenouil.

Étendre le mélange sur les tranches de saumon, les rouler en forme de cylindre, puis les réfrigérer pendant 15 minutes.

Pour servir, diviser la salade mesclun sur 4 assiettes et y ajouter 2 roulés et 2 tranches d'avocats par plat. Saupoudrer le tout de noix de Grenoble hachées.

Arroser la salade de vinaigrette et servir avec un pain croûté.

Ingrédients

3/4 tasse de mayonnaise

2 c. à soupe de whiskey

454 g de chair de crabe fraîche

1/2 c. à thé de graines de fenouil

8 tranches (environ 225 g) minces de saumon fumé

3 tasses de salade mesclun

1 avocat pelé, dénoyauté et coupé en 8 tranches

1/2 tasse de noix de Grenoble hachées

Vinaigrette au choix pour servir avec la salade

Roulés au saumon et à la chair de crabe

Galettes de saumon

Ingrédients

1 conserve (454 g) de saumon

1 c. à soupe de jus de citron

De l'eau froide

2 œufs battus

1/4 c. à thé de poivre

1 tranche de pain émiettée

1/4 tasse de céleri finement haché

2 c. à soupe d'oignons verts finement hachés

1 c. à soupe de poivron rouge finement haché

1/3 tasse d'oignon finement haché

2 c. à soupe de farine

1 c. à thé de levure chimique (poudre à pâte)

2 c. à soupe d'huile d'olive

Préchauffer le four à 350 °F (175 °C).

Égoutter la canne de saumon et réserver l'eau.

Retirer la peau et les os et émietter le saumon à l'aide d'une fourchette.

Ajouter le jus de citron à l'eau de la conserve.

Ajouter de l'eau jusqu'à obtenir 1/2 tasse de liquide.

Ajouter le liquide au saumon.

Ajouter le reste des ingrédients et bien mélanger.

Façonner 4 galettes, mettre sur une tôle à cuisson et cuire 30 minutes.

Servir.

Salade de saumon

Ingrédients

1 conserve de saumon en morceaux, égouttée

2 tomates coupées en morceaux

1 concombre pelé et coupé en morceaux

2 oignons verts hachés

1/4 tasse de sauce soja

3 c. à soupe d'huile d'olive

1 gousse d'ail pressée

1/2 c. à soupe de poivre noir

Mélanger tous les ingrédients et laisser refroidir au réfrigérateur.

Servir en sandwich, sur des craquelins ou avec de la laitue.

Salade de saumon

Salade de saumon à la russe

Saumon et pommes de terre à la mijoteuse

Placer la moitié des pommes de terre dans la mijoteuse graissée.

Saupoudrer de la moitié de la farine, du sel et du poivre.

Ajouter la moitié du saumon et la moitié des oignons.

Recommencer l'opération patates-saumon-oignons.

Dans un bol, mélanger la crème de champignon et l'eau.

Verser le mélange dans la mijoteuse.

Saupoudrer de noix de muscade, couvrir et laisser mijoter à basse température entre 7 et 9 heures, ou jusqu'à ce que les pommes de terre soient bien tendres.

Servir.

Ingrédients

5 pommes de terre pelées et coupées en rondelles

3 c. à soupe de farine

1/4 c. à soupe de sel

1/4 c. à soupe de poivre

1 conserve (454 g) de saumon en morceaux, égouttée

1/2 tasse d'oignons hachés

1 conserve (315 ml) de crème de champignons

1/4 tasse d'eau

1/4 c. à thé de muscade

Salade de saumon à la russe

Mélanger la crème sure et la mayonnaise dans un grand bol et ajouter du sel et du poivre au goût.

Faire chauffer l'huile de canola et le jus de citron dans une poêle et y ajouter le saumon.

Mettre un couvercle et faire cuire à feu bas durant 10 minutes ou jusqu'à ce que le poisson soit cuit.

Faire refroidir le saumon et couper en morceaux.

Mélanger le reste des ingrédients au mélange de mayonnaise et de crème sure et ajouter le saumon.

Servir sur les tranches de bain brun.

Ingrédients

225 g de filets de saumon

2 œufs bouillis, coupés

1/2 poivron rouge coupé en fines lanières

1/2 oignon haché

2 c. à soupe de jus de citron

1 c. à soupe d'huile de canola

1 c. à soupe d'aneth haché

8 c. à soupe de crème sure

2 c. à soupe de mayonnaise

4 tranches de pain brun

Sel et poivre

Saumon glacé à l'érable en croûte de poivre

Ingrédients

4 filets de saumon sans peau
(environ 200 g chacun)

1/4 tasse de poivre concassé
ou passé au mortier

Huile végétale

Marinade :

3/4 tasse de sirop d'érable

1/4 tasse de sauce soja

Dans un bol, bien mélanger le sirop d'érable et la sauce soja.

Dans un sac type « Zyploc » ou un plat refermable hermétiquement, mettre les filets de saumon et la marinade. S'assurer que les filets sont recouverts uniformément de la marinade. Refermer hermétiquement et mettre au réfrigérateur.

Laisser reposer de 4 à 24 heures en retournant le saumon aux heures.

Au terme du temps de repos, placer le poivre dans une assiette.

Retirer les filets de la marinade et enrober un seul côté du saumon de poivre.

Huiler la grille du barbecue et commencer la cuisson. Mettre la surface enrobée de poivre vers le haut pour éviter que le poivre ne brûle.

Cuire environ 8 minutes.

Saumon aux herbes fraîches

Ingrédients

4 filets de saumon (200 g chacun)

Préparation d'herbes :

1/4 tasse de coriandre fraîche,
hachée finement et bien tassée

1/4 tasse de persil frais, haché
finement et bien tassé

1 1/2 c. à thé de chili broyé (au goût)

2 gousses d'ail hachées finement

1/2 c. à thé d'origan en poudre

Sel et poivre du moulin

3 c. à soupe d'huile d'olive

Dans le mélangeur ou le robot culinaire, mettre tous les ingrédients de la préparation d'herbes et mélanger jusqu'à l'obtention d'une pâte homogène.

Dans un contenant refermable hermétiquement, placer les 4 filets de saumon et étaler environ 1 c. à soupe de la préparation d'herbes du côté de la chair de chacun des filets.

Laisser reposer entre 1 et 12 heures.

Huiler la grille du barbecue et cuire de 5 à 10 minutes, jusqu'à ce que la chair du poisson ne soit plus translucide.

Saumon aux herbes fraîches

Brochette de saumon

Saumon glacé au vinaigre balsamique

Mettre le vinaigre balsamique et le romarin dans une petite casserole et réduire jusqu'à l'obtention d'une texture de glaçage (environ 10 minutes).
Huiler les filets de saumon et la grille du barbecue.
Commencer la cuisson en mettant la peau vers le haut pour environ 5 minutes. Retourner ensuite de l'autre côté et badigeonner abondamment du glaçage de vinaigre.
Répéter l'opération en fin de cuisson.
Servir chaud ou tiède sur une salade.

Ingrédients

4 filets de saumon avec la peau
(200 g chacun)

125 ml de vinaigre balsamique

1 1/2 c. à soupe de romarin
frais haché finement

Huile d'olive

Brochette de saumon

Faire tremper les broches de bois dans l'eau environ 30 minutes.
Dans un grand bol, mélanger l'aneth, l'huile, le sambal oelek, le zeste, le jus de citron, le sel et le poivre.
Ajouter les cubes de saumon, bien les enrober du mélange et laisser reposer environ 10 minutes.
Préparer les brochettes en alternant les quartiers de citron et les cubes de saumon, en s'assurant de débuter et de terminer la brochette avec un quartier de citron.
Cuire environ 10 minutes les brochettes sur le gril en les badigeonnant du reste de marinade.

Ingrédients

Entre 700 et 800 g de filet de saumon
sans peau coupé en cubes

50 ml d'aneth frais haché

45 ml d'huile d'olive

1/2 c. à thé de sambal oelek

1 c. à thé de zeste de citron

30 ml de jus de citron

Sel et poivre

1 citron coupé en quartiers

Prévoir 4 broches
de bois ou de métal

Filets de tilapia sauce alfredo

Ingrédients

4 filets de tilapia

2 c. à soupe d'huile d'olive

1/2 c. à thé de gros sel

1/4 c. à thé de poivre

3 c. à soupe de beurre

2 gousses d'ail hachées

1 tasse de sauce alfredo

Préchauffer le four à 425 °F (220 °C).

Badigeonner les filets d'huile d'olive (de chaque côté).

Assaisonner avec le sel et le poivre, puis placer sur une tôle à cuisson.

Mettre au four et cuire environ 10 minutes, ou jusqu'à ce que le poisson se défasse facilement.

Pendant ce temps, faire chauffer le beurre dans une casserole à feu moyen.

Ajouter l'ail et faire revenir jusqu'à ce qu'il ait ramolli, soit environ 2 minutes.

Augmenter à feu moyen-vif et ajouter la sauce alfredo.

Faire chauffer jusqu'à obtenir la température désirée.

Sortir les filets du four, et les servir couverts de sauce alfredo.

Ingrédients

600 g de saumon sans peau

1/2 tasse de crème fraîche

2 c. à soupe de fécule de maïs

2 c. à soupe d'oignons verts hachés finement

1 c. à soupe de ciboulette fraîche hachée finement

1 c. à soupe de persil haché finement

1 c. à thé de sel

Poivre du moulin

Huile d'olive

6 pains à hamburger

6 tranches de fromage gouda

Hamburger de saumon

Hacher le saumon finement.

Dans un grand bol, mélanger le saumon, la crème fraîche, la fécule de maïs, les oignons verts, la ciboulette, le persil, le sel et le poivre.

Façonner des boulettes avec le mélange (donne environ 6 boulettes).

Huiler la grille du barbecue et cuire environ 4 minutes de chaque côté.

Servir dans un pain hamburger avec une tranche de fromage.

Garnir de mayonnaise et de relish.

Hamburger de saumon

Tilapia au parmesan et aux graines de lin

Tilapia aux légumes

Couper tous les légumes en juliennes et les mélanger dans un plat.

Couper 4 feuilles de papier d'aluminium.

Répartir les légumes également sur chaque feuille.

Placer un filet sur chaque pile de légumes, puis assaisonner de vin, de jus de citron et d'une noisette de beurre.

Bien refermer le papier d'aluminium et cuire au four une quinzaine de minutes à 350 °F (175 °C).

Ingrédients

4 filets de tilapia

2 carottes

2 branches de céleri

1 poivron rouge

1/2 tasse de beurre

1 c. à soupe de jus de citron

1/4 tasse de vin blanc

Tilapia au parmesan et aux graines de lin

Dans une poêle, faire chauffer le beurre et l'huile d'olive à feu moyen-vif.

Ajouter l'ail et faire revenir jusqu'à ce que l'ail ramollisse. Retirer du feu.

Bien rincer et essorer les filets de tilapia.

Les placer sur une tôle à cuisson, les saler et les poivrer.

Badigeonner les filets de beurre/huile à l'ail.

Couvrir de papier d'aluminium et cuire à 375 °F (190 °C) pendant 5 minutes, ou jusqu'à ce que la chair se défasse facilement.

Sortir du four et retirer le papier d'aluminium.

Dans un petit bol, mélanger les graines de lin, le parmesan, le sel et le poivre.

Mettre le mélange sur les filets, ajouter du beurre à l'ail par-dessus et cuire à broil environ 3 minutes.

Servir.

Ingrédients

2 filets de tilapia

2 c. à soupe de graines de lin moulues

4 c. à soupe de beurre

2 c. à soupe d'huile d'olive

2 gousses d'ail hachées

2 c. à soupe de parmesan râpé

Sel et poivre blanc au goût

Tilapia au cidre de pomme

Laver les filets et les placer dans un plat en verre allant au four.

Ajouter le cidre.

Couvrir et réfrigérer 1 heure.

Dans un bol, mélanger la mayonnaise et le raifort. Réserver.

Remplir une grande casserole de 1/2 pouce d'eau et porter à ébullition.

Ajouter l'ail et réduire à feu doux.

Ajouter les filets de tilapia.

Ajouter le basilic, couvrir et laisser mijoter 15 minutes.

Retirer les tilapias et servir avec une cuillère de sauce.

Ingrédients

2 filets de tilapia

1/2 tasse de cidre de pomme

1 c. à thé de raifort

1 c. à soupe de mayonnaise

1 c. à thé de basilic frais

2 gousses d'ail pressées

Steaks d'espadon

Dans un bol, mélanger les champignons, les oignons, les poivrons verts, le jus de citron, l'huile d'olive, le sel, le poivre et les graines d'aneth.

Préchauffer le four à 400 °F (220 °C).

Couvrir une tôle à cuisson de papier d'aluminium. Étendre le mélange sur la tôle couverte de papier d'aluminium, puis coucher les espadons par-dessus.

Saupoudrer de sel et de poivre, ajouter les feuilles de laurier, couvrir de papier d'aluminium et cuire au four environ 55 minutes, ou jusqu'à ce que la chair se défasse facilement.

Servir.

Ingrédients

1/2 tasse de champignons tranchés

1 tasse d'oignons tranchés

2 c. à soupe de poivrons verts hachés

2 c. à soupe de jus de citron

2 c. à soupe d'huile d'olive

1/4 c. à thé de sel

1/4 c. à thé de poivre

1/4 c. à thé de graines d'aneth

4 steaks d'espadons

2 feuilles de laurier

2 tomates

Steaks d'espadon

Morue au four

Rouget à l'espagnole

Étendre les oignons dans un plat à cuisson,
et mettre les filets de rouget par-dessus.
Couper les poivrons en rondelles et les placer sur les rougets.
Préchauffer le four à 350 °F (175 °C).
Dans un bol, mélanger l'huile d'olive, le sel, le poivre,
le bouillon de légumes, le vin et l'ail.
Verser le mélange sur le poisson.
Mettre au four et laisser cuire environ 30 minutes.
Garnir d'amandes grillées et de persil.
Servir.

Ingrédients

3 oignons sucrés moyens
coupés en rondelles

900 g de filets de rougets

2 poivrons verts

1 poivron rouge

1 poivron jaune

1/2 tasse d'huile d'olive

1 c. à thé de sel

1/8 c. à thé de poivre

3/4 tasse de bouillon de légumes

1 tasse de vin blanc sec

2 gousses d'ail hachées

1/4 tasse d'amandes
grillées et tranchées

1 bouquet de persil frais

Morue au four

Préchauffer le four à 400 °F (200 °C).
Placer les oignons dans un plat à cuisson.
Mettre les filets de morue par-dessus et les badigeonner de jus de citron.
Saupoudrer de sel, de poivre et de paprika.
Mettre le poisson au four 15 minutes.
Retirer du four et placer les morceaux de tomates
autour des filets de morue.
Saupoudrer à nouveau de poivre, répartir le cheddar également
sur chaque filet et remettre au four 15 minutes.
Servir accompagné de quartiers de citrons.

Ingrédients

1 oignon tranché finement

680 g de filets de morue

3 c. à soupe de jus de citron

1/4 c. à thé de sel

1/2 c. à thé de poivre

1/4 c. à thé de paprika

3 tomates coupées en quatre

3 c. à soupe de cheddar fort râpé

1 citron coupé en quartiers

Morue aux légumes

Placer la morue salée dans de l'eau froide et laisser tremper durant au moins 24 heures en changeant l'eau 2 ou 3 fois.

Mettre tous les légumes coupés dans un bol.

Enlever le poisson de l'eau et passer quelques essuie-tout dessus pour enlever l'excédent d'eau.

Couper la morue en morceaux.

Chauffer l'huile d'olive dans une poêle à frire assez profonde.

Recouvrir la morue de farine puis faire frire dans la poêle jusqu'à ce que les morceaux brunissent de chaque côté. Retirer de la poêle et mettre de côté.

Mettre les oignons, l'ail et les poivrons dans la poêle et faire sauter.

Ajouter les aubergines, les courgettes et les tomates.

Ajouter l'eau et faire cuire de 5 à 10 minutes.

Ajouter le poisson et faire cuire durant environ 10 minutes.

Servir le tout avec du pain ou du riz.

Ingrédients

454 g de morue salée
(sans peau ni os)

2 c. à soupe de farine

1/2 tasse d'huile d'olive

2 oignons hachés finement

1 gousse d'ail hachée

1 poivron rouge coupé en dés

1 poivron vert coupé en dés

2 petites aubergines coupées en dés

2 courgettes coupées en dés

2 tomates mûres coupées en dés

1 tasse d'eau

Sel et poivre

Filets de sole à la sauce mornay

Préchauffer le four à 350 °F (175 °C).

Dans un grand plat allant au four bien graissé, placer les filets de sole.

Ajouter 1/4 pouce d'eau. Mettre au four 20 minutes, ou jusqu'à ce que la chair se défasse facilement.

Pendant ce temps, faire chauffer le beurre dans une casserole à feu moyen.

Ajouter la farine et bien mélanger jusqu'à obtenir une texture lisse.

Ajouter le lait chaud peu à peu. Laisser mijoter en brassant constamment jusqu'à ce que la sauce bouille et épaississe.

Réduire à feu doux et laisser mijoter 5 minutes en brassant de temps à autre.

Ajouter le fromage et mélanger jusqu'à ce qu'il soit fondu.

Mélanger 1/2 tasse de la sauce aux jaunes d'œufs. Bien mélanger et verser dans la casserole. Ajouter le sel, le poivre et la sauce Worcestershire. Réserver.

Sortir le poisson du four, le transférer dans un plat à service allant au four.

Verser la sauce sur le poisson, mettre le four à broil et faire griller le poisson environ 4 minutes. Servir.

Ingrédients

900 g de filets de sole

Beurre

Sauce :

4 c. à soupe de beurre

4 c. à soupe de farine tout usage

2 tasses de lait chaud

1/2 tasse de parmesan râpé

2 jaunes d'œufs battus

1/4 c. à thé de sel

1/4 c. à thé de poivre blanc

Quelques gouttes de sauce Worcestershire

Filets de sole à la sauce mornay

Roulés de sole aux épinards

Filets de sole aux bananes

Dans un bol, mélanger la farine, la poudre de curry et la sauce soja.

Couvrir les bananes et les filets du mélange et réserver.

Dans un poêlon, faire chauffer l'huile à feu moyen-vif.

Ajouter le céleri et faire revenir jusqu'à ce qu'il soit croustillant. Réserver.

Ajouter le beurre et faire revenir les bananes jusqu'à ce qu'elles soient
bien dorées, soit environ 1 minute de chaque côté.

Arroser de la moitié du jus de citron et transférer dans un plat à service.

Faire revenir les filets dans le poêlon environ 3 minutes de chaque côté,
ou jusqu'à ce que la chair se défasse facilement.

Arroser du reste du jus de citron et placer dans le plat
à service avec les bananes.

Ajouter le céleri par-dessus et servir.

Ingrédients

1/4 tasse de farine

2 c. à soupe de poudre de curry

1/4 c. à thé de sauce soja

4 bananes pelées et coupées en
deux dans le sens de la longueur

454 g de filets de sole

1 c. à soupe d'huile

3 branches de céleri tranchées

4 c. à soupe de beurre

2 c. à soupe de jus de citron

Roulés de sole
aux épinards

Préchauffer le four à 350 °F (175 °C).

Dans une grande poêle, faire chauffer le beurre à feu moyen-doux.

Ajouter les oignons et faire revenir jusqu'à ce qu'ils aient ramolli.

Placer un filet de sole dans une grande assiette.

Le couvrir d'épinards cuits et d'oignons. Rouler le filet
et le placer dans un plat à cuisson graissé.

Répéter l'opération avec tous les filets de sole.

Dans un bol, mélanger la sauce tomate, la poudre d'ail,
le basilic, le sel et le poivre.

Verser la sauce sur les rouleaux.

Cuire environ 25 minutes, ou jusqu'à ce que la chair
se défasse facilement.

Servir.

Ingrédients

1 tasse d'oignons finement hachés

1 c. à soupe de beurre

900 g de filets de sole

454 g d'épinards frais
cuits et égouttés

1 conserve (440 ml)
de sauce tomate

1/2 c. à thé de poudre d'ail

1/4 c. à thé de feuilles
de basilic séchées

1/4 c. à thé de sel

1/4 c. à thé de poivre

Ingrédients

1/4 tasse de noix de macadam

1/2 tasse de chapelure

1 œuf

175 g de filets de mahi-mahi

1/2 tasse de beurre

1/4 tasse d'échalotes hachées

4 tasse de bouillon de poulet

1/2 tasse d'ananas coupés en morceaux

1/2 tasse de papayes coupées en morceaux

1/2 tasse de mangues coupées en morceaux

1 c. à soupe de noix de coco râpée

2 piments jalapenos épépinés

1/2 c. à thé de sel

1/2 c. à thé se poivre

Sucre au goût

Ingrédients

4 filets de sole

1 planche de cèdre

1 lime coupée en quartiers

3 gousses d'ail hachées

1/2 tasse de coriandre fraîche hachée

2 c. à soupe de beurre

Sel et poivre

Mahi-mahi sauce aux fruits

Préchauffer le four à 375 °F (190°C).

Dans un robot culinaire, mettre les noix de macadam et la chapelure, et bien mélanger. Mettre le mélange de noix et de chapelure dans une assiette.

Battre l'œuf dans un bol.

Tremper les filets de poisson dans l'œuf, puis dans le mélange de chapelure.

Dans une grande poêle, faire chauffer le beurre à feu moyen. Ajouter les filets et les faire griller jusqu'à ce qu'ils soient bien dorés.

Les retirer et les mettre sur une tôle à cuisson.

Mettre les échalotes dans la poêle et les faire revenir jusqu'à ce qu'elles soient translucides. Ajouter le bouillon de poulet, les ananas, les papayes, la mangue, la noix de coco et les piments. Assaisonner avec le sel et le poivre et un peu de sucre.

Laisser mijoter jusqu'à ce que la sauce épaississe, soit environ 30 minutes.

Passer au tamis, puis mettre dans une casserole et laisser chauffer à feu doux.

Faire cuire les mahi-mahi au four environ 10 minutes.

Servir nappé de sauce.

Filets de sole lime et coriandre

Faire tremper la planche de cèdre dans l'eau environ 2 heures.

Préchauffer le barbecue à feu élevé.

Placer les filets de sole sur la planche de cèdre.

Presser le jus de la moitié des quartiers de lime sur les filets de sole, puis assaisonner de sel et de poivre.

Placer la planche de cèdre sur le gril, fermer le couvercle et laisser griller jusqu'à ce que la chair ne soit plus translucide.

Retirer la planche du gril et laisser reposer.

Dans une poêle, faire fondre le beurre.

Ajouter le jus du reste des quartiers de lime, l'ail, la coriandre, le sel et le poivre. Verser la sauce sur les filets de sole et servir.

Filets de sole lime et coriandre

Flétan au four

Préchauffer le four à 400 °F (200 °C).

Graisser 4 morceaux de papier d'aluminium d'huile d'olive.

Assaisonner les filets de sel et de poivre et les placer chacun sur un morceau de papier d'aluminium.

Dans un petit bol, mélanger les tomates, les olives, l'ail et le persil.

Verser le mélange de tomates également sur chaque filet.

Refermer le papier d'aluminium et cuire au four 10 minutes.

Servir.

Ingrédients

4 filets de flétan

3 c. à soupe d'huile d'olive

2 tomates pelées et hachées

4 c. à soupe d'olives hachées

2 gousses d'ail hachées

3 c. à soupe de persil frais haché

Sel et poivre

Mahi-mahi au rhum et à la lime

Mettre les filets dans un plat en vitre allant au four.

Verser le rhum et le jus de lime sur les filets, et placer quelques rondelles d'oignon sur chacun d'eux.

Couvrir et réfrigérer 3 heures.

Préchauffer le four à 350 °F (175 °C)..

Sortir les filets du réfrigérateur et retirer le 3/4 du liquide. Garder les tranches d'oignon et ajouter une tranche de citron sur chaque filet.

Assaisonner d'origan et de poivre.

Mettre une noisette de beurre sur chaque filet.

Couvrir et cuire au four environ 30 minutes ou jusqu'à ce que la chair se défasse facilement.

Servir.

Ingrédients

900 g de filets de mahi-mahi

1/2 tasse de rhum brun

1/2 tasse de jus de lime

2 oignons coupés en rondelles

1 citron coupé en rondelles

2 c. à thé d'origan séché

4 c. à soupe de beurre

1/4 c. à thé de poivre

Mahi-mahi au rhum et à la lime

Mahi-mahi au sésame et au gingembre

Mahi-mahi au sésame et au gingembre

Dans une grande casserole, faire chauffer les échalotes, le gingembre, le jus de citron et le vin.

Laisser mijoter jusqu'à ce que le liquide ait réduit.

Ajouter la crème et porter à ébullition.

Laisser bouillir jusqu'à ce que la crème ait réduit de moitié.

Ajouter la sauce soja et retirer du feu.

Verser le mélange dans le mélangeur. Bien mélanger en ajoutant le beurre graduellement, cube par cube.

Couper le shiso grossièrement et ajouter au mélange.

Mélanger encore jusqu'à obtenir un mélange homogène.

Saler et poivrer.

Transférer le mélange dans la casserole et garder chaud à feu doux.

Préchauffer le four à 425 °F (220 °C)..

Dans un grand poêlon, faire chauffer l'huile.

Assaisonner les filets de sel et de poivre.

Mélanger les graines de sésame et les étendre dans une assiette.

Tremper le dessus des filets dans les graines de sésame et appuyer pour qu'elles restent bien dans la chair.

Mettre les filets dans la poêle, le côté avec les graines de sésame dans l'huile.

Faire griller les filets 45 secondes de chaque côté.

Mettre les filets sur une tôle à cuisson et cuire au four 6 minutes.

Servir les filets nappés de sauce.

Ingrédients

3 échalotes hachées

2 c. à thé de gingembre frais haché

Le jus de 1 citron

1/2 tasse de vin blanc sec

1/2 tasse de crème 15 %

1/2 tasse de beurre coupé en petits cubes

3 c. à soupe de sauce soja

4 feuilles de shiso

1/2 c. à thé de gros sel

1/4 c. à thé de poivre blanc

2 c. à soupe d'huile de canola

6 filets de mahi-mahi

4 c. à soupe de graines de sésame

4 c. à soupe de graines de sésame noires

Thon grillé mariné au miel et à la moutarde

Sébastes farcis aux amandes

Préchauffer le four à 400 °F (200 °C)..
Dans un poêlon, faire chauffer 2 c. à soupe de beurre.
Ajouter les oignons et faire revenir jusqu'à ce qu'ils aient ramolli.
Ajouter la chapelure, le céleri, les oignons verts, les amandes,
les œufs, le persil et l'estragon et bien mélanger.
Remplir le poisson avec le mélange et refermer.
Faire fondre 8 c. à soupe de beurre, en verser un peu dans un plat
à cuisson. Mettre le poisson dans le plat. Saler et poivrer.
Cuire au four environ 1 heure en badigeonnant régulièrement de beurre.
Servir.

Ingrédients

2,5 kg de sébastes entiers, nettoyés

1/4 tasse d'oignons hachés

2 c. à soupe de beurre

3 tasses de chapelure

1/2 tasse de céleri haché

1/2 tasse d'oignons verts hachés

1/2 tasse d'amandes
grillées, hachées

3 œufs battus

2 c. à soupe de persil frais haché

1 c. à soupe d'estragon séché

8 c. à soupe de beurre

Sel et poivre

Thon grillé mariné au miel et à la moutarde

Dans un bol, mélanger la moutarde, le miel, l'huile d'olive,
la sauce soja et le vinaigre de vin.
Transférer le mélange dans un grand plat et ajouter les steaks de thon.
Les retourner pour qu'ils soient bien couverts de la marinade.
Couvrir et laisser mariner au réfrigérateur au moins 2 heures.
Badigeonner la grille du barbecue d'huile d'olive. Ouvrir à feu moyen-vif.
Mettre les steaks de thon sur la grille et laisser griller environ 5 minutes de
chaque côté, ou jusqu'à ce que les steaks soient bien grillés à l'extérieur
et légèrement rosés à l'intérieur.
Servir.

Ingrédients

2 steaks de thon

2 c. à soupe de moutarde de Dijon

1 c. à thé de miel

1 c. à soupe d'huile d'olive

2 c. à soupe de sauce soja

2 c. à soupe de vinaigre de vin

Casserole de thon et d'Orge

Remplir une casserole d'eau, saler légèrement et porter à ébullition.

Ajouter les pâtes et laisser cuire quelques minutes. Égoutter.

Dans un grand poêlon, faire chauffer le beurre à feu moyen.

Ajouter les champignons et les oignons verts. Faire revenir jusqu'à ce que les oignons verts aient ramolli.

Ajouter la farine et bien mélanger jusqu'à ce qu'elle soit complètement imbibée de beurre.

Ajouter le lait graduellement en mélangeant constamment.

Continuer à mélanger jusqu'à ce que la texture épaississe.

Ajouter le thon, les pois, le sel et le poivre.

Mélanger la sauce et les pâtes, puis transférer dans un plat allant au four.

Ajouter le parmesan et cuire au four 25 minutes à 350 °F (175 °C).

Servir.

Ingrédients

1 tasse d'Orzo

3 c. à soupe de beurre

1 tasse de champignons tranchés

4 oignons verts finement tranchés

3 c. à soupe de farine

1 1/2 tasse de lait

1 conserve de thon pâle en morceaux dans l'eau, égouttée

1 1/2 tasse de pois verts congelés, cuits et égouttés

1/2 tasse de parmesan râpé

1/2 c. à thé de sel

Ingrédients

5 pommes de terre cuites et coupées en rondelles

3 c. à soupe de beurre

1/4 tasse de farine

1 c. à thé de sel

1/8 c. à thé de poivre

1 1/2 c. à soupe de moutarde préparée

2 tasses de lait

1 conserve de thon égouttée

1 tasse d'oignons hachés

Pommes de terre au thon

Dans un poêlon, faire fondre le beurre à feu moyen-vif.

Ajouter la farine, le sel, le poivre et la moutarde et bien mélanger.

Ajouter le lait graduellement en mélangeant constamment.

Mettre les pommes de terre, le thon et les oignons dans un plat graissé allant au four.

Ajouter la sauce par-dessus.

Cuire au four 60 minutes à 350 °F (175 °C).

Pommes de terre au thon

Truites farcies

Steaks de thon aux olives

Badigeonner la grille du barbecue d'huile d'olive.
Faire griller les steaks de thon environ 5 minutes de chaque côté, ou jusqu'à
ce qu'ils soient bien grillés à l'extérieur et rosés à l'intérieur. Les badigeonner
de tapenade avant de les retourner.
Badigeonner le deuxième côté de tapenade et servir.

Ingrédients

2 steaks de thon

Sel et poivre

4 c. à soupe de tapenade d'olive

Huile d'olive

Truites farcies

Préchauffer le four à 425 °F (220 °C).
Dans un poêlon, faire chauffer le beurre à feu moyen-vif.
Ajouter l'oignon et le céleri et faire revenir jusqu'à ce que l'oignon
ramollisse, soit environ 5 minutes. Retirer du feu.
Ajouter les morceaux de pain, le thym, le sel et le poivre. Bien mélanger.
Assaisonner les cavités des truites de sel et de poivre, et remplir
également du mélange de pain.
Tenir fermé à l'aide de cure-dents.
Enrouler 2 tranches de bacon autour de chaque truite
et mettre sur une tôle à cuisson.
Cuire au four 4 minutes, ou jusqu'à ce que la chair se défasse facilement.
Garnir de persil et servir.

Ingrédients

2 c. à soupe de beurre

1 oignon haché

1 branche de céleri hachée

1 tasse de morceaux de pain

1 c. à soupe de thym frais haché

Sel et poivre

4 truites préparées

8 tranches de bacon

Quelques bouquets de persil
pour la décoration

Sardines grillées

Laver les sardines et les tremper dans l'eau froide 10 minutes.

Dans un plat creux, mélanger la moitié du basilic, 1/2 c. à soupe de graines de pavot, les échalotes, l'huile d'olive, l'ail, le jus de citron, le jus de lime, les zestes, la cassonade et le vinaigre balsamique.

Ajouter les sardines et bien les tremper dans le mélange.

Réfrigérer 2 heures.

Retirer les sardines du plat, les mettre sur une tôle à cuisson et faire griller 15 minutes à 350 °F (175 °C) en les retournant régulièrement.

Parsemer du reste de basilic et de pavot et servir.

Ingrédients

600 g de sardines fraîches nettoyées et sans tête

1 échalote finement hachée

1 c. à thé d'huile d'olive

2 gousses d'ail pressées

Le jus et le zeste de 1/2 citron

Le jus et le zeste de 1/2 lime

1 bouquet de basilic frais haché

1 c. à soupe de cassonade

1 c. à thé de vinaigre balsamique

1 c. à soupe de graines de pavot

Tartinade de sardines

Égoutter les sardines et les piler.

Dans une casserole, faire fondre légèrement le fromage. Retirer du feu.

Ajouter le raifort, le Tabasco, le jus de citron, les oignons, le persil et les sardines. Défaire les sardines à l'aide d'une fourchette puis bien mélanger.

Mettre dans un bol à trempette et servir avec des craquelins ou des légumes crus.

Ingrédients

2 conserves (115 g) de sardines

500 g de fromage à la crème ramolli

1 c. à soupe de raifort

2 gouttes de Tabasco

3 c. à soupe de jus de citron

2 c. à soupe d'oignon râpé

2 c. à soupe de persil frais haché

Tartinade de sardines

Sardines frites

Penne sauce aux sardines

Tremper les raisins de Corinthe dans un bol d'eau chaude.

Couper les sardines en morceaux.

Faire chauffer l'huile d'olive dans un grand poêlon à feu moyen.

Ajouter l'oignon et l'ail et faire revenir jusqu'à ce qu'ils ramollissent.

Ajouter le fenouil, les noix de pin, les sardines et les raisins de Corinthe.

Réduire à feu doux et laisser mijoter 5 minutes.

Dans une casserole, faire bouillir de l'eau légèrement salée.

Ajouter les penne et cuire 10 minutes,

ou jusqu'à ce qu'ils soient al dente.

Égoutter, transférer dans des bols, napper de sauce et servir.

Ingrédients

320 g de penne

2 conserves (115 g) de sardines

1 oignon

1 branche de fenouil
finement hachée

1 gousse d'ail

40 g de noix de pin

50 g de raisins de Corinthe

4 c. à soupe d'huile d'olive

Sel et poivre

Sardines frites

Saupoudrer les sardines de farine

Dans un bol, fouetter l'œuf et le lait.

Tremper les sardines dans le mélange, puis les rouler dans la chapelure.

Mettre les sardines dans la friteuse et les laisser frire quelques minutes, ou
jusqu'à ce qu'elles soient bien dorées.

Les mettre dans un bol couvert d'essuie-tout pour absorber le gras.

Assaisonner de sel et servir.

Ingrédients

400 g de sardines fraîches

1/4 tasse de farine

1 œuf

1 c. à soupe de lait

1/2 t asse de chapelure

De l'huile pour la friteuse

Gros sel

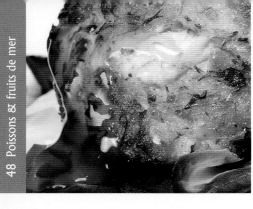

Poisson haché et salade de pommes de terre aux légumes

Ingrédients

680 g de poisson
(morue, églefin ou saumon)

2 c. à soupe de sel

115 g de beurre

2 c. à soupe de farine

1/4 c. à thé de poivre

Lait au besoin

454 g de petites pommes de terre
rouges, cuites et coupées en dés

1 1/2 tasse de brocoli frais

1/2 tasse de céleri tranché

1/4 tasse d'oignon rouge tranché

1/4 tasse de radis tranchés

2 c. à soupe de poivron vert tranché

1/3 tasse de vinaigrette à l'italienne

Assaisonnement au goût

Retirer la peau et les os du poisson si nécessaire.

Préchauffer le four à 350 °F (175 °C).

À l'aide d'une cuillère ou d'un mélangeur électrique,
émincer le poisson jusqu'à l'obtention d'une texture fine et lisse.

Ajouter le sel tout en continuant d'émincer le poisson.

Dans un autre bol, mélanger le beurre, la farine et le poivre,
puis ajouter le tout au poisson.

Ajouter au mélange 1 c. à thé de lait.

Continuer d'ajouter du lait jusqu'à ce que la texture devienne lisse
et malléable.

Mettre le tout dans un plat graissé allant au four.

Faire cuire au four pendant environ 1 heure.

Dans un grand bol à salade, mélanger les pommes de terre
aux légumes.

Dans un petit bol, mélanger la vinaigrette aux assaisonnements choisis,
puis verser sur la salade.

Sortir le poisson du four et servir avec la salade de pommes de terre.

Poisson haché et salade de pommes
de terre aux légumes

Mérou a la Margarita

Mérou à la Margarita

Dans un bol, mélanger tous les ingrédients de la marinade.
Mettre les filets de mérou dans un plat hermétique, verser la marinade
sur le poisson, refermer et laisser reposer 30 minutes.
Entre-temps, dans un bol, mélanger tous les
ingrédients de la salsa et réfrigérer.
Enlever l'excédent de marinade des filets de poisson
et cuire sur le gril huilé et préchauffé à feu moyen-vif.
Faire bouillir environ 5 minutes le restant de la marinade et réserver.
Servir le poisson sur un nid de salsa et
un peu de la marinade réchauffée.

Ingrédients

4 filets de mérou
(200 g max. chacun)

Marinade :

100 ml de tequila

125 ml de liqueur d'orange

Le jus de 8 limes

1 c. à thé de sel

3 gousses d'ail
hachées finement

4 c. à soupe d'huile d'olive

Salsa :

5 tomates italiennes
coupées en dés

1 oignon haché

1 petit piment jalapeño
haché finement

5 c. à soupe de coriandre fraîche,
hachée finement

Une pincée de sucre

1 1/2 c. à soupe d'huile d'olive

Sel et poivre

Ragoût de poisson et de fruits de mer

Poisson blanc enrobé de bacon

Dans un bol, mélanger tous les ingrédients de la marinade.
Mettre les filets de poisson dans une assiette
et les badigeonner abondamment de la marinade.
Enrouler chacun des filets de poisson avec deux tranches de bacon.
Cuire sur le gril préchauffé à température moyenne
jusqu'à ce que le bacon soit croustillant.
Pendant la cuisson, badigeonner avec le reste de la marinade.
Servir.

Ingrédients

4 filets de poisson blanc
(200 g chacun)
8 tranches de bacon fumé

Marinade :

Les feuilles de 2 brins de romarins
hachés finement
Le zeste de 2 citrons
Le jus de 2 citrons
Poivre du moulin
Huile d'olive

Ragoût de poisson et de fruits de mer

Couper les filets de poisson en petites bouchées.
Enlever toute la chair du crabe. Bien nettoyer les moules (ou palourdes).
Mettre tous les fruits de mer de côté et commencer à chauffer l'huile
d'olive dans un grand chaudron à feu moyen.
Faire sauter les oignons 3-4 minutes ou jusqu'à ce qu'ils
deviennent transparents.
Ajouter l'ail et faire sauter durant une minute.
Ajouter les tomates et le vin et laisser mijoter en mélangeant jusqu'à ce
que le liquide soit réduit de moitié.
Ajouter le jus de palourdes, le persil, le basilic, le sel et le poivre.
Faire bouillir un peu, puis baisser à feu moyen et
laisser mijoter de 15 à 20 minutes.
Ajouter le poisson et les crevettes et laisser mijoter 3-4 minutes.
Ajouter la chair de crabe et les moules (ou palourdes).
Couvrir le chaudron et laisser mijoter 3-4 minutes,
ou jusqu'à ce que les moules soient ouvertes et bien cuites.
Servir dans de grands bols et garnir d'un peu de persil haché
et accompagner de pain au levain.

Ingrédients

900 g de filets de poisson
à chair blanche
900 g de crabe cuit
680 g de palourdes ou de moules
454 g de crevettes
1/4 tasse d'huile d'olive
2 oignons hachés
3 ou 4 gousses d'ail émincées
1 boîte de tomates écrasées
1 tasse de vin rouge ou blanc
3 tasse de jus de palourdes
1/4 tasse de persil haché
2 c. à soupe de basilic haché
Sel et poivre

Linguines aux crevettes

Remplir une grande casserole d'eau, ajouter du sel et porter à ébullition.

Ajouter les pâtes et laisser bouillir environ 10 minutes, ou jusqu'à ce qu'elles soient al dente. Égoutter et réserver.

Dans une grande poêle de style wok, faire chauffer l'huile d'olive à feu moyen.

Ajouter le vin, l'ail, le persil, le sel et le poivre. Réduire à feu doux et laisser mijoter environ 5 minutes en mélangeant fréquemment.

Monter le feu à moyen-vif et ajouter les crevettes. Faire revenir environ 5 minutes, ou jusqu'à ce que les crevettes aient atteint une teinte rosée.

Fermer le feu, ajouter les pâtes et le parmesan, et bien mélanger.

Mettre dans des bols, saupoudrer de persil et servir.

Ingrédients

500 g de linguine

1 kg de crevettes décortiquées

1 c. à soupe d'huile d'olive

3 c. à soupe de vin blanc

2 c. à soupe de parmesan râpé

3 gousses d'ail pelées et hachées

1 1/2 c. à soupe de persil frais haché

1/4 c. à thé de sel

1/4 c. à thé de poivre

Crevettes au citron

Préchauffer le four à 350 °F (175 °C).

Cuire les nouilles selon les directives de l'emballage.

Égoutter, puis dans un grand bol, mélanger les nouilles avec le beurre jusqu'à ce qu'elles soient bien enduites du beurre fondu.

Ajouter le reste des ingrédients.

Transférer le tout dans un plat allant au four et cuire de 15 à 20 minutes.

Retirer du four et servir.

Ingrédients

1 paquet de nouilles aux œufs

1/2 tasse de beurre ramolli

900 g de crevettes cuites

3 tomates coupées

1 tasse de bouillon de poulet

2 tasses de carottes râpées

1 boîte (115 g) de champignons tranchés, égouttés

2 c. à soupe de jus de citron frais

2 gousses d'ail coupées

1/2 c. à thé de graines de céleri

1/4 c. à thé de poivre noir

Crevettes au citron

Crevettes à l'ail et au chili

Soupe froide crevettes, melon et avocat

Peler les concombres et les couper en deux dans le sens de la longueur.

À l'aide d'une cuillère, retirer les pépins, puis couper en gros morceaux.

Remplir une casserole d'eau salée et porter à ébullition.

Mettre les concombres dans la casserole et les laisser bouillir 2 minutes.

Égoutter puis rincer à l'eau froide. Réserver.

Couper les melons en deux et enlever les pépins à l'aide d'une cuillère.

Enlever la pelure et couper en gros morceaux.

Mettre les morceaux de melons au mélangeur.

Ajouter les concombres, la menthe et le jus de citron.

Bien mélanger jusqu'à obtenir une consistance lisse.

Verser le mélange dans un grand bol.

Verser l'eau dans le mélangeur et bien mélanger.

Verser l'eau dans le bol.

Ajouter les crevettes, le sel et le poivre et bien mélanger.

Couvrir et laisser refroidir quelques heures au réfrigérateur.

Peler l'avocat, le dénoyauter et le couper en morceaux.

Ajouter les morceaux d'avocat à la soupe et servir.

Ingrédients

2 concombres

2 melons miel

2 c. à soupe de menthe fraîche hachée

3/4 tasse d'eau

250 g de crevettes de Matane

1 avocat

1/4 c. à thé de sel

1/4 c. à thé de poivre

Crevettes à l'ail et au chili

Dans un mélangeur, mettre le zeste et le jus d'orange et de lime, les flocons de chili, l'huile d'olive, l'ail et le sel. Bien mélanger.

Mettre les crevettes dans un bol et verser la marinade dessus.

Couvrir et laisser mariner 30 minutes à température ambiante.

Dans une poêle, faire revenir les crevettes marinées à feu moyen environ 10 minutes, ou jusqu'à ce qu'elles soient rosées.

Ajouter le reste de la marinade, bien mélanger et servir.

Ingrédients

15 crevettes décortiquées

3/4 c. à soupe de flocons de chili

Le jus et le zeste de 3 limes

Le jus et le zeste de 3 oranges

2 c. à soupe d'huile d'olive

2 gousses d'ail hachées

1/4 c. à thé de sel

Soupe à la créole

Dans une casserole, faire chauffer le beurre.

Ajouter l'oignon, les oignons verts, les haricots verts et l'ail, et les faire sauter environ 2 minutes, ou jusqu'à ce que l'oignon ramollisse.

Ajouter le jus de légumes, l'eau, le riz, les morceaux de tomates, le maïs, le sel, le thym et la feuille de laurier.

Porter à ébullition.

Réduire à feu doux. Laisser mijoter 25 minutes.

Ajouter les crevettes. Faire bouillir environ 7 minutes ou jusqu'à ce qu'elles soient cuites. Retirer la feuille de laurier.

Servir.

Ingrédients

1 c. à soupe de beurre

1/4 tasse d'oignons verts

1 gousse d'ail hachée

1/2 oignon haché

1/4 tasse de tomates en dés

1/4 tasse de maïs en conserve

1/4 tasse de haricots verts coupés en morceaux

1 1/2 tasse de jus de légumes

1 tasse d'eau

1/4 tasse de riz à grains longs (pas cuits)

1/2 c. à thé de gros sel

1/4 c. à thé de thym séché

1 feuille de laurier

3/4 tasse de crevettes en conserve

Soupe aux nouilles et crevettes à l'orientale

Faire bouillir l'eau dans une grande casserole.

Ajouter les nouilles et les laisser cuire 3 minutes.

Ajouter les crevettes, les oignons verts, les fèves germées, la carotte, la sauce soja et l'assaisonnement des nouilles Ramen.

Laisser chauffer 5 minutes.

Servir.

Ingrédients

3 1/2 tasses d'eau

1 paquet de nouilles Ramen à l'orientale

1 tasse de crevettes congelées précuites

1/2 tasse d'oignons verts

1/2 tasse de fèves germées

1 carotte coupée en fines lanières

2 c. à soupe de sauce soja

Soupe aux nouilles et crevettes à l'orientale

Salade de crabe et de céleri

Crevettes grillées enrobées de prosciutto

Dans un grand bol, mélanger l'huile, l'ail, l'aneth et l'estragon.
Incorporer les crevettes et mélanger pour que les crevettes soient bien enrobées du mélange.
Couper les tranches de prosciutto en trois sur le sens de la longueur.
Enrouler chaque crevette d'un ruban de prosciutto.
Cuire sur le gril à feu moyen-vif environ 7 minutes.
Retourner une fois à mi-cuisson.
Servir en entrée.

Ingrédients

24 grosses crevettes décortiquées et déveinées

2 c. à soupe d'huile d'olive

4 gousses d'ail hachées finement

1 c. à thé de graine d'aneth

1 c. à thé d'estragon séché

8 tranches de prosciutto

Salade de crabe et de céleri

Dans un grand bol, mettre les morceaux de céleri et le jus de citron.
Bien mélanger.
Ajouter la chair de crabe et bien mélanger.
Dans un petit bol, mélanger le vinaigre, le miel, la moutarde, le persil, le sel et le poivre.
Verser la vinaigrette dans le mélange de crabe et mélanger.
Servir sur des craquelins.

Ingrédients

10 branches de céleri lavées et coupées en petits morceaux

Le jus de 1 citron

200 g de chair de crabe en conserve

3 c. à soupe de vinaigre de cidre

1 c. à soupe de miel

4 c. à thé de moutarde de Dijon

3 c. à soupe de persil frais haché

1/4 c. à thé de sel

1/4 c. à thé de poivre

Soufflé au crabe

Ingrédients

2 c. à soupe d'échalotes hachées

3 c. à soupe de beurre

3 c. à soupe de farine

1 tasse de lait

1/2 c. à thé de sel

1/4 c. à thé de poivre blanc moulu

4 jaunes d'œuf

1/2 tasse de fromage suisse râpé

3/4 tasse de chair de crabe

5 blancs d'œuf

1/8 c. à thé de sel

1 pincée de crème de tartre

Parmesan râpé

Préchauffer le four à 400 °F (200 °C).

Graisser un plat à soufflé et couvrir le fond de parmesan râpé.

Dans une poêle, faire chauffer le beurre à feu moyen.

Ajouter les échalotes et faire revenir jusqu'à ce qu'elles ramollissent.

Ajouter la farine, le sel et le poivre, et faire revenir 2 minutes. Retirer du feu.

Ajouter peu à peu le lait en mélangeant constamment. Remettre sur le feu et mélanger jusqu'à obtenir une texture épaisse et lisse. Retirer du feu et laisser tiédir.

Ajouter les jaunes d'œuf un à la fois en fouettant constamment.

Ajouter le fromage suisse et remettre sur le feu. Ajouter la chair de crabe, bien mélanger et retirer du feu.

Dans un bol, fouetter les blancs d'œufs jusqu'à ce qu'ils deviennent mousseux. Ajouter le 1/8 de c. à thé de sel et la crème de tartre.

Fouetter à nouveau. Incorporer délicatement à la base du soufflé.

Verser le mélange dans le plat à soufflé et mettre le parmesan râpé par-dessus.

Placer sur la grille centrale du four et réduire la température à 375 °F (190 °C).

Cuire 30 minutes et servir.

Trempette de crabe chaude

Ingrédients

3 c. à soupe de crème sure

5 c. à soupe de parmesan râpé

1 c. à soupe de jus de citron

1 c. à soupe d'aneth frais, haché

1/2 c. à soupe de raifort râpé

2 oignons verts hachés

1 tasse de chair de crabe

Sel et poivre

Fouetter la crème sure et le parmesan jusqu'à l'obtention d'un mélange homogène.

Ajouter le jus de citron, l'aneth, le raifort, les oignons verts, le sel et le poivre. Bien mélanger.

Ajouter la chair de crabe et bien mélanger.

Transférer le mélange dans un plat allant au four.

Cuire à 375 °F (190 °C) environ 15 minutes.

Servir avec des craquelins ou des légumes crus.

Trempette de crabe chaude

Ingrédients

1/3 tasse d'oignons verts hachés

1/2 tasse de champignons tranchés

1/2 c. à thé de thym séché

1 c. à soupe de beurre

1 1/2 c. à thé de farine

1/4 tasse et 2 c. à soupe de lait

2 c. à soupe de vin blanc sec

225 g de chair de crabe en morceaux

1 c. à soupe de persil frais haché

1 1/2 c. à thé de jus de citron

1/8 c. à thé de moutarde sèche

1/8 c. à thé de sel

1 pincée de piment en poudre

Crêpes :

3/4 tasse de farine

1/8 c. à thé de sel

2 œufs battus

1 tasse de lait

1 c. à soupe de beurre

Huile d'olive

Crêpes au crabe

Crêpes :

Dans un bol, mélanger la farine et le sel.

Ajouter graduellement les œufs battus, le lait, le beurre, en fouettant jusqu'à l'obtention d'une texture lisse.

Réfrigérer la pâte à crêpe environ 2 heures.

Couvrir une grande poêle d'huile d'olive. Faire chauffer à feu moyen jusqu'à ce que l'huile soit chaude.

Mettre 3 c. à soupe du mélange dans la poêle. Bouger la poêle pour que le mélange soit réparti également.

Laisser cuire 1 minute, puis retourner la crêpe. Laisser cuire 30 secondes, puis mettre la crêpe dans une assiette. Recommencer jusqu'à ce qu'il ne reste plus de pâte.

Dans une grande poêle, faire chauffer le beurre à feu moyen-vif.

Ajouter les oignons verts, les champignons et le thym.

Faire revenir jusqu'à ce que les champignons ramollissent.

Réduire à feu doux et ajouter la farine. Laisser chauffer 1 minute en mélangeant constamment.

Ajouter graduellement le lait et le vin. Augmenter à feu moyen et mélanger constamment jusqu'à ce que la sauce épaississe.

Retirer du feu.

Ajouter la chair de crabe, le persil, le jus de citron, la moutarde, le sel et le piment.

Mettre 1 1/2 c. à soupe du mélange de chair de crabe au centre de chaque crêpe, puis rouler. Placer les crêpes sur une tôle à cuisson graissée.

Couvrir de papier d'aluminium et cuire 25 minutes à 350 °F (175 °C).

Mettre le four à broil et faire griller 1 minute, jusqu'à ce que les crêpes aient une teinte dorée.

Servir.

Crêpes au crabe

Pommes de terre farcies au crabe

Soupe de crabe

Dans une casserole, faire fondre le beurre à feu moyen-vif.
Ajouter le céleri, les poivrons verts et les oignons verts,
et faire revenir quelques minutes.
Ajouter la crème de pommes de terre, le maïs, le lait, la crème, les feuilles
de laurier, le thym, la poudre d'ail et le poivre. Laisser mijoter quelques
minutes, jusqu'à ce que le mélange soit chaud.
Ajouter la chair de crabe et un peu de sel. Retirer les feuilles de laurier.
Garnir de persil et de tranches de citron et servir.

Ingrédients

454 g de crabe

1/2 tasse de céleri haché

1/2 tasse d'oignons verts hachés

1/4 tasse de poivrons verts hachés

1/2 tasse de beurre

2 conserves de crème
de pommes de terre

1 conserve de maïs en crème

1 1/2 tasse de crème 10 %

1 1/2 tasse de lait

2 feuilles de laurier

1 c. à thé de thym séché

1/2 c. à thé de poudre d'ail

1 /4 c. à thé de poivre blanc moulu

Sel

Quelques branches
de persils hachés

Quelques tranches de citron

Pommes de terre
farcies au crabe

Envelopper les pommes de terre de papier d'aluminium et les cuire au
four jusqu'à ce qu'elles se défassent facilement.
Les couper en deux dans le sens de la longueur
et les vider à l'aide d'une cuillère.
Dans le mélangeur, mettre l'intérieur des pommes de terre, le beurre,
la crème, le sel, l'oignon, le cheddar et un peu de paprika.
Bien mélanger jusqu'à obtenir une texture lisse.
Mettre le mélange dans un bol, ajouter la chair de crabe
et bien mélanger.
Remplir les pelures de pomme de terre du mélange.
Cuire 15 minutes au four à 400 °F (200 °C).
Servir.

Ingrédients

4 pommes de terre moyennes

3/4 tasse de chair de crabe

1/2 tasse de beurre ramolli

1/2 tasse de crème 10 %

1 c. à thé de sel

4 c. à soupe d'oignon râpé

1 tasse de cheddar fort râpé

Paprika

Avocats farcis au crabe

Ingrédients

2 avocats

225 g de chair de crabe

1/4 tasse de céleri haché

Mayonnaise

Jus de citron

Sel et poivre

Laitue défaite en morceaux

4 œufs durs coupés en morceaux

4 filets d'anchois

1 citron coupé en quatre

1 tomate coupée en quatre

Quelques olives noires

1 bouquet de persil

Mayonnaise aux herbes :

1 tasse de mayonnaise

1/2 c. à thé d'estragon

1/4 c. à thé de cerfeuil

2 c. à soupe de ciboulette hachée

2 c. à soupe de purée de tomates

Dans un bol, mélanger la tasse de mayonnaise, l'estragon,
le cerfeuil et la ciboulette. Bien mélanger.

Ajouter la purée de tomate et bien mélanger. Réserver.

Couper les avocats en deux et retirer les noyaux.

Défaire la chair de crabe et la mélanger avec le céleri et un peu
de mayonnaise.

Assaisonner de jus de citron, de sel et de poivre.

Placer les moitiés d'avocat sur les feuilles de laitues, les remplir du mélange
de chair de crabe, ajouter les morceaux d'œufs durs sur le dessus.

Garnir avec les anchois, les citrons, les morceaux de tomates,
les olives et le persil.

Servir avec la vinaigrette à part.

Avocats farcis au crabe

Homards farcis

Gratin de homard

Dans une grande poêle, faire fondre le beurre à feu moyen-vif.

Ajouter la chair de homard et faire revenir 3 minutes.

Ajouter les champignons et faire revenir 2 minutes.

Ajouter le vin, réduire à feu doux et laisser mijoter 5 minutes.

Dans un bol, mélanger la farine, le sel, le poivre et la crème.

Verser le mélange dans la poêle.

Augmenter à feu moyen-vif et porter à ébullition
en mélangeant constamment.

Verser le mélange dans un plat allant au four,
ajouter le gruyère et cuire 10 minutes à 400 °F (200 °C).

Ingrédients

La chair de 2 homards
ou 454 g de chair de homard

4 c. à soupe de beurre

1 tasse de champignons tranchés

1/2 tasse de vin blanc

2 c. à soupe de farine

1 c. à thé de sel

1/8 c. à thé de poivre blanc moulu

1 tasse de crème 15 %

1/2 tasse de gruyère râpé

Homards farcis

Remplir une grande casserole d'eau et porter à ébullition.

Y mettre les homards et laisser bouillir 8 minutes.

Retirer les homards de l'eau et laisser refroidir.

Préchauffer le four à 400 °F (200 °C).

Dans un bol, mélanger la chapelure, le beurre,
le sel, le poivre et l'estragon.

Lorsque les homards sont assez tièdes, les couper en deux dans le sens
de la longueur à l'aide d'un gros couteau.

Retirer la chair et la mélanger avec le mélange de chapelure.

Mettre le mélange à l'intérieur du homard et
verser un peu d'huile d'olive sur le dessus.

Mettre les homards sur une tôle à cuisson et
laisser cuire au four environ 20 minutes.

Servir.

Ingrédients

2 homards frais

50 g de chapelure

3/4 tasse de beurre ramolli

1 c. à thé de sel

1/2 c. à thé de poivre

1 c. à thé d'estragon séché

2 c. à thé d'huile d'olive

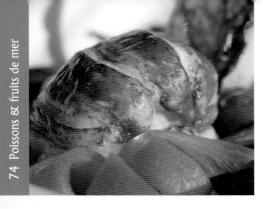

Homards grillés à l'origan

Couper les homards en deux dans le sens de la longueur
et les passer sous l'eau.
Assaisonner de sel et de poivre.
Mélanger le beurre et l'origan.
Placer les homards sur la grille du barbecue, la chair vers le bas
et griller à feu moyen.
Lorsque la chair est presque grillée, retourner les homards
et badigeonner du mélange beurre-origan.
Griller jusqu'à ce que le beurre ait bien pénétré la chair.
Servir.

Ingrédients

2 homards

2 c. à soupe de beurre ramolli

1 c. à soupe d'origan

Sel et poivre

Ingrédients

1 kg de calmars, nettoyés et coupés
en morceaux plats

1/2 tasse de lait évaporé

1 œuf battu

1 c. à thé de sel

1/8 c. à thé de poivre

1 tasse de chapelure

De l'huile pour la friteuse

1 citron coupé en tranches

Calmars frits

Dans un bol, mélanger le lait, les œufs, le sel et le poivre.
Tremper les calmars dans le mélange, puis les rouler dans la chapelure.
Les mettre dans la friteuse.
Laisser frire jusqu'à ce qu'ils deviennent dorés et retirer.
Placer dans un bol couvert d'essuie-tout pour absorber le gras.
Servir avec des tranches de citron.

Calmars frits

Palourdes aux artichauts

Salade de calmars grillés

Laisser mariner les calmars dans la sauce soja environ 1 heure.

Mettre les calmars sur des brochettes.

Les piquer plusieurs fois pour qu'ils restent bien à plat sur la grille.

Allumer le barbecue à feu vif.

Griller les calmars 1 minute de chaque côté afin qu'ils soient légèrement dorés.

Les retirer des brochettes et les couper en morceaux.

Ajouter le jus de citron et l'huile d'olive à la salade.

Poser les morceaux de calmars sur le dessus, arroser d'un filet d'huile de sésame et servir.

Ingrédients

500 g de calmars entiers, nettoyés

1/4 tasse de sauce soja

7 tasses de salade mesclun

Le jus d'un gros citron

1 1/2 tasse d'huile d'olive

1 c. à thé d'huile de sésame

Palourdes aux artichauts

Égoutter les cœurs d'artichauts.

Faire chauffer l'huile d'olive dans un poêlon à feu moyen.

Ajouter l'ail et faire brunir durant quelques minutes.

Ajouter la farine, le vin blanc et le bouillon, puis bien mélanger.

Ajouter les palourdes et cuire jusqu'à ce quelle s'ouvrent.

Ajouter les cœurs d'artichauts et cuire quelques minutes.

Servir.

Ingrédients

20 cœurs d'artichauts en conserve

2 gousses d'ail émincées

2 c. à soupe d'huile d'olive

1 tasse de bouillon de légumes ou de poisson

1 c. à soupe de farine

2 c. à soupe de vin blanc sec

24 palourdes lavées

Ingrédients

1 kg de gros pétoncles

225 g de prosciutto tranché mince

1/2 tasse d'huile d'olive

Quelques cure-dents

Pétoncles au prosciutto au barbecue

Préchauffer le barbecue à feu moyen-vif.

Envelopper chaque pétoncle d'une tranche de prosciutto
et faire tenir à l'aide d'un cure-dent.

Badigeonner la grille du barbecue d'huile d'olive.

Placer les pétoncles sur la grille et les badigeonner d'huile d'olive.

Laisser les pétoncles griller environ 5 minutes, puis les retourner.

Badigeonner l'autre côté d'huile d'olive et laisser griller un autre 5 minutes,
ou jusqu'à ce qu'ils aient perdu leur transparence.

Mettre dans un plat à service et servir.

Ingrédients

900 g de pétoncles

1/2 tasse de champignons hachés

4 branches de persil hachées

1/2 tasse de chapelure

1 c. à thé de sel

1/4 c. à thé de poivre

1/4 tasse de beurre fondu

1 c. à soupe de vin blanc

Pétoncles au four

Préchauffer le four à 350 °F (175 °C).

Dans un bol, mélanger les champignons, le persil, la chapelure,
le sel et le poivre.

Étendre les pétoncles sur une tôle à cuisson.

Dans un deuxième bol, mélanger le beurre et le vin.

Badigeonner les pétoncles du mélange beurre-vin.

Saupoudrer du mélange de chapelure.

Cuire au four entre 15 et 20 minutes.

Servir.

Pétoncles au four

Ragoût de pétoncles

Pétoncles à la portugaise

Saupoudrer les pétoncles de sel et de poivre.

Dans un grand poêlon, faire chauffer 1 1/2 c. à soupe d'huile d'olive à feu moyen-vif.

Ajouter la moitié des pétoncles et faire revenir 2 minutes de chaque côté.

Retirer les pétoncles et les réserver (garder chauds).

Recommencer avec l'autre moitié des pétoncles.

Réserver avec les premiers pétoncles.

Remettre le poêlon sur le feu, ajouter le porto et le jus de citron.

Dégraisser.

Ajouter les pétoncles, 3 c. à soupe de persil et l'ail, et faire revenir 45 secondes à feu élevé.

Servir sur du riz et garnir de persil.

Ingrédients

500 g de pétoncles

1/2 c. à thé de sel

1/4 c. à thé de poivre noir

1 c. à soupe d'huile d'olive

1/3 tasse de porto

2 c. à soupe de jus de citron

1/4 tasse de persil frais haché

5 gousses d'ail hachées

Ragoût de pétoncles

Dans une casserole, mettre le lait, la crème, les feuilles de laurier, les oignons et les feuilles de céleri. Couvrir et laisser chauffer à feu moyen-vif environ 5 minutes.

Passer le mélange au tamis.

Remettre le mélange liquide dans la casserole, ajouter les morceaux de céleri et le beurre et porter à ébullition.

Réduire à feu moyen-doux et laisser mijoter 5 minutes.

Ajouter les pétoncles, les herbes, le sel et le poivre.

Laisser mijoter une dizaine de minutes.

Verser le mélange dans des bols, ajouter la ciboulette et quelques craquelins émiettés et servir.

Ingrédients

454 g de pétoncles

2 tasses de lait

1 tasse de crème 10 %

2 feuilles de laurier

3 petits oignons hachés

3 branches de persil frais

2 c. à soupe de feuilles de céleri finement hachées

3 c. à soupe de céleri haché

3 c. à soupe de beurre

2 c. à thé d'estragon frais haché

1 c. à t. de sarriette fraîche, hachée

4 c. à thé de ciboulette fraîche

1/4 c. à thé de sel

1/4 c. à thé de poivre

Craquelins au goût

Bruschetta de pétoncle

Ingrédients

6 gros pétoncles coupés en deux (horizontal)

2 c. à soupe d'huile d'olive

3 c. à soupe de jus de lime

Le zeste d'une lime

1 c. à soupe de coriandre fraîche, hachée finement

1 avocat, pelé, dénoyauté et coupé en dés

2 tomates italiennes coupées en dés

Gros sel et poivre du moulin

Une baguette de pain

Dans un bol, mélanger 2 c. à soupe d'huile et 2 c. à soupe de jus de lime. Incorporer les pétoncles et remuer pour qu'ils soient bien enrobés du mélange. Laisser reposer 10 minutes. (Si vous attendez trop longtemps, le jus de lime cuira les pétoncles.)

Retirer de la marinade et cuire 4 minutes sur le gril huilé, préchauffé à température moyenne-élevée. Retourner une fois à mi-cuisson. Retirer du gril et réserver.

Couper la baguette de pain en tranches minces. Huiler chacune des tranches et poser sur le gril. Cuire jusqu'à ce que le pain soit doré. Retirer et réserver.

Dans un bol, écraser les dés d'avocat pour obtenir une purée.

Ajouter le reste du jus de lime, la coriandre, le zeste, les tomates, saler et poivrer. Bien mélanger.

Étaler ce mélange sur les croûtons et terminer en posant une tranche de pétoncle sur le dessus de chacun des hors-d'œuvre.

Moules à la sauce au vin

Ingrédients

1 oignon pelé et haché

2 gousses d'ail hachées

1 c. à soupe d'huile d'olive

1/2 tasse de vin blanc sec

2 douzaines de moules lavées et brossées

1 tasse de coriandre fraîche

1/2 tasse de persil frais

1 c. à soupe de beurre ramolli

1 c. à soupe de jus de citron

Dans une grande casserole, faire chauffer l'huile d'olive à feu moyen.

Ajouter l'ail et l'oignon et faire revenir jusqu'à ce qu'ils aient ramolli.

Ajouter le vin et laisser mijoter 5 minutes à découvert.

Ajouter les moules et couvrir. Laisser mijoter à feu moyen-vif environ 5 minutes, et les transférer dans un bol lorsqu'elles s'ouvrent.

Jeter les moules qui ne se sont pas ouvertes après 7 minutes.

Réserver le jus de cuisson.

Dans un mélangeur, mettre la coriandre, le persil, le beurre, le jus de citron et le jus de cuisson. Bien mélanger jusqu'à obtenir une texture lisse.

Verser le mélange sur les moules et bien mélanger.

Servir.

Moules à la sauce au vin

Moules à la provençale

Salade de moules

Dans une grande casserole, faire chauffer le vin et 2 gousses d'ail
à feu vif. Ajouter les moules et laisser bouillir jusqu'à ce
qu'elles s'ouvrent, soit environ 5 minutes.
Retirer les moules qui ne s'ouvrent pas.
Rincer à l'eau froide.
Dans un grand bol, mélanger la moutarde, l'ail, le sel,
le poivre, le sucre, l'origan et le vinaigre de vin.
Ajouter l'huile d'olive et bien mélanger.
Mettre les moules dans un bol à service, ajouter la quantité désirée de
vinaigrette, garnir le persil, d'aneth et d'oignons et réfrigérer 15 minutes.
Servir.

Ingrédients

40 moules brossées et lavées

3/4 tasse de vin blanc sec

3 gousses d'ail pressées

1 c. à soupe de moutarde de Dijon

1 c. à soupe de sel

1/4 c. à soupe de poivre

1/2 c. à soupe de sucre

1/2 c. à soupe d'origan frais haché

6 c. à soupe de vinaigre
de vin rouge

1 tasse d'huile d'olive

1 bouquet de persil haché

1 bouquet d'aneth haché

1 oignon haché

Moules à la provençale

Bien laver et brosser les moules, et les mettre
avec leur jus dans une grande casserole.
Faire chauffer à feu élevé jusqu'à ce qu'elles s'ouvrent.
Jeter les moules qui ne s'ouvrent pas.
Égoutter et réserver le jus.
Dans une grande casserole, faire chauffer l'huile d'olive à feu doux.
Ajouter les oignons et faire revenir jusqu'à ce qu'ils ramollissent.
Ajouter l'ail et le thym et faire revenir 1 minute.
Ajouter le vin rouge et laisser mijoter 5 minutes.
Ajouter les tomates et le jus des moules,
couvrir et laisser mijoter 30 minutes.
Retirer le couvercle et laisser mijoter encore 15 minutes.
Ajouter les moules et laisser mijoter 5 minutes.
Assaisonner de sel et de poivre, et parsemer de persil.
Servir.

Ingrédients

900 g de moules

3 c. à soupe d'huile d'olive

1 oignon finement haché

3 gousses d'ail hachées

2 c. à soupe de thym frais haché

3/4 tasse de vin rouge

1 conserve (825 ml)
de tomates en dés

2 c. à soupe de persil frais haché

Sel et poivre

Moules à l'aneth

Dans une grande casserole, faire chauffer le vin blanc, l'ail, les oignons, les feuilles de laurier et le poivre à feu vif.

Ajouter les moules et laisser bouillir 5 minutes. Retirer les moules au fur et à mesure qu'elles s'ouvrent, et jeter celles qui ne s'ouvrent pas.

Garder 1 tasse du liquide dans lequel les moules ont cuit, et le faire chauffer avec le lait et l'aneth.

Réduire à feu doux et ajouter les jaunes d'œuf.

Ajouter la crème lorsque la sauce épaissit.

Si la sauce est trop épaisse, ajouter du jus de moules.

Servir les moules avec un peu de sauce.

Ingrédients

48 moules

2 tasses de vin blanc sec

3 gousses d'ail pressées

6 oignons du printemps hachés

3 feuilles de laurier

1/4 c. à thé de poivre noir

1/2 tasse de lait

1 c. à soupe d'aneth frais haché

2 jaunes d'œuf

1/2 tasse de crème 10 %

Huîtres frites

Remplir la friteuse d'huile et chauffer à 375 °F (190 °C).

Dans un bol, mélanger la farine, le sel et le poivre.

Ouvrir les huîtres, les défaire de la coquille, les rouler dans le mélange de farine, les tremper dans les œufs, et les rouler dans la chapelure.

Mettre tranquillement les huîtres dans la friteuse, environ 5 à la fois.

Les laisser frire environ 2 minutes, jusqu'à ce qu'elles soient bien dorées.

Les mettre dans un bol couvert d'essuie-tout pour absorber le gras.

Servir.

Ingrédients

Huile végétale (pour la friteuse)

1/2 tasse de farine

1 c. à thé se sel

1/2 c. à thé de poivre

340 g d'huîtres

2 œufs battus

3/4 tasse de chapelure

Huîtres frites

Huîtres au beurre et fenouil

Omelette aux huîtres et aux fines herbes

Préchauffer le four à broil.

Dans un bol, battre les œufs. Ajouter la crème, la sauce piquante, le basilic, l'origan, le poivre, et 1 c. à soupe de parmesan.

Ouvrir les huîtres à l'aide d'un couteau à huîtres et les défaire de leur coquille.

Dans une grande poêle, faire chauffer l'huile d'olive à feu moyen-vif.

Ajouter le beurre. Bien répandre dans la poêle.

Ajouter les huîtres et les faire revenir environ 1 minute de chaque côté.

Laisser mijoter 30 secondes pour que le liquide réduise.

Ajouter peu à peu le mélange d'œufs, en s'assurant que les huîtres soient bien réparties dans la poêle.

Laisser mijoter 3 minutes.

Ajouter le parmesan et mettre au four 7 minutes.

Retirer, parsemer de persil, couper en pointes et servir directement dans la poêle.

Ingrédients

6 œufs

1/4 tasse de crème 15 %

Quelques gouttes de sauce piquante

1 c. à thé de basilic frais haché

1 c. à thé d'origan frais haché

1/4 c. à thé de poivre

1/3 tasse de parmesan râpé

1 c. à thé d'huile d'olive

1 c. à soupe de beurre

12 huîtres fraîches

2 c. à soupe de persil frais haché

Huîtres au beurre et fenouil

Préchauffer le four à 450 °F (230 °C).

Dans un bol, mélanger le beurre, les échalotes, les graines de fenouil, les feuilles de fenouil, le sel et le poivre.

Ouvrir les huîtres à l'aide d'un couteau à huîtres et les détacher de leur coquille.

Placer les huîtres ouvertes sur une tôle à cuisson.

Remplir chaque huître de 1/2 c. à thé du mélange beurre-fenouil.

Cuire au four quelques minutes, jusqu'à ce que le beurre soit bien chaud.

Servir.

Ingrédients

1 c. à thé de graines de fenouil broyées

1 tasse de beurre ramolli

1 c. à soupe d'échalotes hachées

1 c. à soupe de feuilles de fenouil frais hachées

1 c. à thé de poivre

1/2 c. à thé de sel

24 huîtres fraîches

Sauce vin et échalotes pour huîtres fraîches

Mélanger tous les ingrédients dans un petit bol.

Mettre sur les moules fraîches avant de les manger.

Ingrédients

3/4 tasse de vinaigre de vin rouge

1 c. à soupe de poivre noir

3 c. à soupe d'échalotes hachées

Huîtres gratinées

Bien nettoyer les huîtres, puis les ouvrir à l'aide d'un couteau à huîtres.

Vider l'eau et détacher l'huître de la coquille.

Placer les huîtres (dans leurs coquilles) sur une tôle à cuisson.

Dans une casserole, faire chauffer la crème à feu moyen-vif.

Ajouter le fromage et bien mélanger jusqu'à ce que le fromage ait totalement fondu.

Ajouter le sel, le poivre et le persil.

Verser le mélange sur chaque huître afin que la coquille soit remplie.

Ajouter un peu de chapelure.

Cuire à broil environ 10 minutes.

Servir.

Ingrédients

12 huîtres

1 1/2 tasse de roquefort râpé

125 ml de crème fraîche

Chapelure

1/2 c. à thé de sel

1/4 c. à thé de poivre blanc

3 c. à thé de persil frais haché

Huîtres gratinées

Pâtes aux fruits de mer

Brochettes de crevettes et pétoncles à l'orange

Faire tremper les broches de bois dans l'eau environ 30 minutes.

Fabriquer des brochettes en alternant les crevettes, les pétoncles, les poivrons et l'oignon.

Dans un grand plat hermétique, mettre tous les ingrédients de la marinade et mélanger.

Mettre les brochettes dans le plat et refermer.

Agiter vigoureusement pour que les brochettes s'imprègnent uniformément de la marinade.

Laisser reposer environ 2 heures.

Huiler la grille du barbecue et cuire 5 minutes en badigeonnant du reste de la marinade.

Ingrédients

20 crevettes et 20 pétoncles

1 poivron rouge ou jaune coupé en gros cubes

1 oignon rouge coupé en demi-quartiers

Prévoir des broches de bois pour les brochettes

Marinade :

3 c. à soupe d'huile d'olive

2 tasse de jus d'orange (maison ou du marché)

2 c. à soupe de menthe fraîche hachée finement

Pâtes aux fruits de mer

Dans un grand poêlon, faire sauter les oignons et l'ail dans l'huile d'olive à feu moyen jusqu'à ce qu'ils deviennent mous et transparents.

Ajouter les tomates en purée et la pâte de tomates.

Laisser mijoter durant 20 minutes.

Ajouter les morceaux de homard et laisser mijoter durant 5 minutes.

Ajouter les crevettes et attendre 2 minutes.

Ajouter le basilic et les graines de poivre.

Servir sur les pâtes et saupoudrer de fromage.

Ingrédients

1 petit oignon coupé en dés

3 gousses d'ail émincées

2 c. à soupe d'huile d'olive

1 boîte de tomates en purée

1 boîte de pâte de tomates

1 queue de homard coupée en morceaux de 1 po

454 g de grosses crevettes

1 c. à soupe de basilic fraîchement coupé

1 pincée de graines de poivre rouge

454 g de linguine cuits

1/4 tasse de parmesan fraîchement râpé

Index

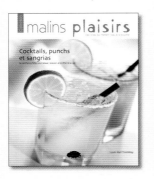

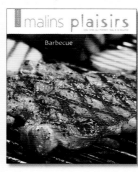

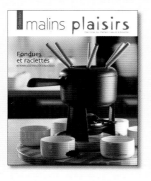
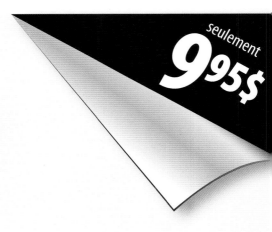